Francis Poulenc

VALSE

des *Musiques de soie*

pour piano

ÉDITIONS SALABERT

Préface

Pour Sidney Buckland,
en témoignage d'amitié et d'affection

Lorsqu'il compose cette *Valse*, jusqu'alors inconnue et inédite, Francis Poulenc (1899-1963) entre dans sa maturité, et compte déjà à son actif l'essentiel de son œuvre pour piano, une bonne part de sa musique de chambre, un opéra et de nombreuses mélodies. Écrite en décembre 1951, la pièce existe sous la forme d'un fac-similé de manuscrit autographe, incorporé à un dessin du peintre Richard Chanlaire, ce dessin étant lui-même le motif d'un foulard (ou carré de soie) confectionné par la maison de haute couture Pierre Balmain. On trouvera la reproduction photographique de ce foulard dans le présent volume.

Mes recherches m'ont permis d'en découvrir l'existence dans le fonds Poulenc acquis en 2015 par le Woodson Research Center, situé dans la Fondren Library de Rice University à Houston, aux États-Unis[1]. Constitué pour l'essentiel de manuscrits musicaux et épistolaires déjà connus, ce fonds provient de la famille Lambiotte, avec laquelle Poulenc entretient des liens d'amitié à partir de 1945. Industriel et collectionneur, Auguste Lambiotte, son épouse Rose et leurs filles Claudine et Rosine[2], accueillent le musicien lorsqu'il séjourne à Bruxelles – Poulenc les appelait sa « famille de Bruxelles ». À Rose, qu'il surnomme « Madame Chapdelaine », ou « Chacha », du nom d'un personnage fictif qu'elle avait inventé[3], le compositeur dédie la deuxième de ses *Trois chansons de F. Garcia-Lorca* de septembre 1947, *Adelina à la promenade* (« un peu votre portrait en gitane », lui dit-il[4]), et sa *13e Improvisation* pour piano de mars 1958. L'exemplaire du foulard présent dans le fonds Poulenc du Woodson Research Center porte cette inscription, à même le tissu, de la main du compositeur : « Pour Madame Chacha / avec toute l'affection de / Poupoule. 31 oct. 52 » (au stylo rose, au bas de l'espace délimité par la seconde page du fac-similé de la partition). Cet exemplaire du foulard est également signé par Richard Chanlaire, à l'encre noire, dans le coin inférieur droit du dessin (en revanche, la mention « Pierre Balmain », dans le coin inférieur gauche, fait partie intégrante du motif du tissu). J'ai pu retrouver un autre exemplaire de ce foulard, vierge de tout ajout celui-là, dans une collection privée ; c'est lui qui se trouve reproduit ici.

Un article du jeudi 29 mai 1952 dans le quotidien *Le Monde*[5] et un autre de juillet suivant dans *Le Jardin des modes*[6], mensuel féminin consacré à la haute couture et aux travaux domestiques, révèlent que le foulard appartient à une série de six, intitulée *Musiques de soie*. Chaque foulard est orné d'un dessin de Richard Chanlaire incluant le fac-similé d'une partition manuscrite. Les six partitions sont dues à Georges Auric, Arthur Honegger, Darius Milhaud, Francis Poulenc, Henri Sauguet et Germaine Tailleferre. *Le Monde* précise que les foulards et les morceaux pour piano ont été présentés, quelques jours auparavant sans doute, dans les jardins du restaurant Le Progrès, à Neuilly. L'auteur de l'article s'enthousiasme : « Mais quelle stupeur de voir se promener, les partitions sur le dos, des mannequins de Pierre Balmain ! Imaginez des foulards de soie aux douces teintes pastel sur lesquels sont imprimées en noir de véritables partitions (jouables et audibles), composées à cette intention [...] » Les six morceaux sont probablement destinés au piano ; celui d'Auric, dont une reproduction de mauvaise qualité illustre l'article du *Jardin des modes*, est un *Scherzando*, mais l'on ne sait rien des autres. On peut supposer que le projet devait à l'origine réunir le Groupe des Six, mais qu'Henri Sauguet, proche compagnon de route de ses membres, se substitua finalement à Louis Durey, qui cessa de composer durant de longues périodes. Peut-être s'agissait-il même de faire suite à l'*Album des Six* pour piano de 1920, dans lequel Poulenc avait déjà livré une valse. Quoi qu'il en soit, on ignore dans quelles circonstances et à combien d'exemplaires la série des six foulards fut distribuée.

C'est sans aucun doute à sa proximité avec Poulenc que le peintre Richard Chanlaire (1896-1973) doit d'avoir réalisé ce projet conjuguant mode et musique. Bien qu'ayant exposé au salon de la Société Nationale des Beaux-arts, au Salon des Tuileries ou au Salon des Artistes indépendants au tournant des années 1930, Chanlaire mena une carrière modeste. Mis en difficulté par la crise de 1929, il habite un studio Quai des Grands-Augustins à Paris, puis partage son temps entre la capitale et Tourrettes-sur-Loup, non loin de Nice. Il vit surtout, semble-t-il, de la réalisation de motifs colorés et d'illustrations pour des paravents, des foulards et des miroirs, qu'il vend notamment dans son atelier de Tourrettes-sur-Loup. Les maisons de haute couture Christian Dior, Jacques Fath, Germaine Lecomte et Pierre Balmain font appel à lui[7].

Francis Poulenc avait croisé Richard Chanlaire en 1924. Mais c'est en 1929 que les deux hommes se rapprochent et débutent une relation amoureuse, la première passion du compositeur, qui le révèle à son homosexualité. En guise de dédicace secrète, Poulenc offre le manuscrit de son *Concert champêtre* à son compagnon, mélomane et violoniste amateur. Leur relation tourmentée marque en outre l'élaboration de sa partition pour le ballet *Aubade*, dont il lui offre également deux importants manuscrits[8]. Après leur rupture en 1932, Poulenc et Chanlaire resteront amis, jusqu'au décès du musicien.

Intimiste, le dessin de Chanlaire incluant la *Valse* de Poulenc offre une représentation, comme prise sur le vif, du moment d'achèvement du morceau. Une table, deux pans de murs et une ouverture sur l'extérieur présentent une perspective un peu distordue. Il est quasi-certain que le peintre a représenté l'appartement qu'occupait Poulenc au sixième étage du 5, rue de Médicis, dans le 6e arrondissement de Paris, face au Jardin du Luxembourg. Comme sur le dessin de Chanlaire, le bureau du musicien se situait dans l'angle d'une pièce, près d'une fenêtre avec balcon en fer forgé[9]. On remarque sur l'un des murs un tableau abstrait pouvant évoquer Joan Miró, allusion possible au goût de Poulenc pour la peinture moderne. Sur la table sont posés, outre la partition, un buste en pierre d'un éphèbe de style grec (symbole d'amour homosexuel ?), une cigarette encore fumante reposant dans un cendrier (Poulenc fumait un peu), un pot orné d'un lilas (symbole de beauté juvénile et des premiers émois amoureux, allusion à l'amour passé des deux hommes ?), un encrier et une plume (symboles quelque peu anachroniques du créateur).

Intitulée *Valse*, la partition qui s'inscrit dans le dessin porte le nom de son auteur et sa date de composition, décembre 1951, dans la graphie bien reconnaissable de Poulenc. Pas d'indication de tempo, mais la musique semble appeler un mouvement modéré voire lent. Aussi simple soit-il, le morceau porte clairement la marque du compositeur. La pièce adopte une structure d'« antécédent-conséquent », ponctuée mes. 12 par une demi-cadence de couleur bien poulencquienne. Dans une tonalité de sol majeur, l'harmonie à la couleur lydienne (présence du do #) est émaillée de légères dissonances de septièmes et de neuvièmes. Confiée à la main droite, la mélodie est chantante, tantôt conjointe et tantôt étrangement disjointe (mes. 7-8), le mordant des mes. 7 et 19 rappelant celui du premier des *Mouvements perpétuels* de 1918. La main gauche présente une écriture caractéristique de valse, le pouce dégageant un discret contrechant.

Le choix de composer une valse n'a rien d'étonnant chez Poulenc. De registre populaire, simple d'accès, d'expression directe et d'une écriture relativement aisée, le genre de la valse était gage d'efficacité dans le cadre d'un morceau nécessairement bref. Le musicien en a souvent fait usage, en l'annonçant dès le titre (*Valse* de l'*Album des Six*, *Valse-improvisation sur le thème de BACH*, *Valse tyrolienne* des *Villageoises*), parfois dans le sous-titre (*Les Chemins de l'amour*, *L'Embarquement pour Cythère*) ou dans l'indication de tempo (*Le Disparu*, *L'Anguille*, *Voyage à Paris* et *Berceuse*). D'autres de ses œuvres sont des valses sans en faire mention (la java du *Lion amoureux* des *Animaux modèles*, *Marc Chagall*) ou sonnent comme telles (la *15e Improvisation* en hommage à Édith Piaf). Chez Poulenc, la valse renvoie généralement à l'imaginaire du Paris populaire et de sa banlieue, à la chanson, aux bals et aux guinguettes ; tout un folklore qu'il adorait et ne cessa de convoquer. Mais elle peut aussi, comme c'est le cas ici, exhaler une douce mélancolie, ou devenir le symbole nostalgique d'un temps révolu.

La présente édition de la pièce est directement fondée sur le fac-similé présent sur le foulard Pierre Balmain. Nous y avons cependant ajouté, mes. 17, une liaison de phrasé à la main droite (par analogie avec celle de la mes. 5), ainsi que quelques points rythmiques qui manquent manifestement à plusieurs blanches de la basse de la main gauche.

Certes de modestes dimensions, cette *Valse* des *Musiques de soie* est une pièce emplie de charme, qui vaut aussi pour les étonnantes circonstances de sa naissance, dont elle est indissociable. J'espère qu'elle fera le plaisir des jeunes pianistes comme des poulencquiens confirmés.

Ma découverte du morceau, lorsque j'étais chercheur au Royal Northern College of Music de Manchester, a été rendue possible par une bourse Marie Skłodowska-Curie. Toute ma reconnaissance au propriétaire du foulard reproduit ici. Mes remerciements vont aussi au personnel de la Fondren Library de Rice University (en particulier à Mary D. Brower), à Barbara Kelly (Royal Northern College of Music de Manchester), à la maison Pierre Balmain (en particulier à Delphine Berthier et Valérie Veysseyre-Constant), à Thierry Masquelier, Marie-Ange Lebedeff, François Manceaux et Benoît Seringe.

Nicolas Southon

1 Rose Lambiotte Family/Francis Poulenc Archive, 1920-1994, MS 623, Woodson Research Center, Fondren Library, Rice University, Houston, Texas. Pour plus d'informations sur ce fonds, voir https://legacy.lib.utexas.edu/taro/ricewrc/00838/rice-00838.html.

2 La fille cadette des Lambiotte, Rosine Lambiotte Donhauser (1925-2013), s'installa à New York après son mariage. En 2015, ses héritiers cédèrent leur fonds Poulenc au Woodson Research Center, où se trouvaient déjà des documents relatifs à la musique française.

3 Voir Carl B. Schmidt, *The Music of Francis Poulenc. A Catalogue*, Oxford, Clarendon press, 1995, p. 472.

4 Francis Poulenc, lettre à Rose Lambiotte du 10 août 1947, dans *Correspondance, 1910-1963*, réunie, présentée et annotée par Myriam Chimènes, Paris, Fayard, 1994, p. 641 (note 1).

5 N. R.-D., « Musique de soie [*sic*] », *Le Monde*, 29 mai 1952.

6 Article non signé, *Le Jardin des modes*, nº 367, juillet 1952, p. I.

7 Sur Richard Chanlaire, voir Carl B. Schmidt, *Entrancing Muse, a Documented Biography of Francis Poulenc*, Hillsdale, Pendragon Press, 2001, et Hervé Lacombe, *Francis Poulenc*, Paris, Fayard, 2013. Nous remercions par ailleurs Marie-Ange Lebedeff pour les renseignements qu'elle nous a fournis.

8 Il se trouve que ces trois manuscrits furent plus tard acquis par Auguste Lambiotte, ce qui explique qu'ils soient aujourd'hui conservés au Woodson Research Center.

9 On peut voir l'angle de cette pièce, avec le bureau de Poulenc, la fenêtre et le balcon, sur la photographie reproduite en couverture de l'ouvrage Francis Poulenc, *J'écris ce qui me chante*, textes et entretiens réunis, présentés et annotés par Nicolas Southon, Paris, Fayard, 2011.

Preface

For Sidney Buckland,
a token of friendship and affection

When he composed this Valse, *hitherto unknown and unpublished, Francis Poulenc (1899-1963) had already entered his mature period, having composed most of his piano works, a good part of his chamber music, an opera and countless melodies. Written in December 1951, the work exists in the form of a facsimile of an autograph manuscript, incorporated into a drawing by the painter Richard Chanlaire, this drawing itself the motif of a scarf (or silk square) created by the haute couture designer Pierre Balmain. The photographic reproduction of this scarf can be found in this volume.*

My research led to the discovery of its existence in the Poulenc collection acquired in 2015 by the Woodson Research Center, located in the Fondren Library of Rice University in Houston, USA[1]*. Consisting for the most part of already-known musical manuscripts and letters, this collection comes from the Lambiotte family, with whom Poulenc maintained a close friendship from 1945. An industrialist and collector, Auguste Lambiotte, his wife Rose and their daughters Claudine and Rosine*[2]*, welcomed the musician whenever he came to Brussels – Poulenc called them his "Brussels family". To Rose, whom he nicknamed "Madame Chapdelaine", or "Chacha", after the name of a fictional character she had invented*[3]*, the composer dedicated the second of his* Trois Chansons de F. Garcia-Lorca *from September 1947,* Adelina à la promenade *("a little bit your portrait as a gypsy", he told her*[4]*), and his* 13e Improvisation *for piano from March 1958. The copy of the scarf present in the Poulenc collection of the Woodson Research Center bears this inscription by the hand of the composer, straight on the fabric, in the composer's handwriting: "For Madame Chacha / with all the affection of / Poupoule. 31 Oct 52" (in pink pen, at the bottom of the space delimited by the second page of the score facsimile). This copy of the scarf is also signed by Richard Chanlaire, in black ink, in the lower right corner of the design (however, the words "Pierre Balmain", in the lower left corner, are an integral part of the fabric's motif). I was able to find another copy of this scarf, without any additional details, in a private collection; this is the one reproduced here.*

An article from May 29th*, 1952 in the daily magazine* Le Monde[5]*, as well as another from July of the same year in* Le Jardin des modes[6]*, a women's monthly devoted to haute couture and housework, reveal that the scarf belongs to a series of six, entitled* Musiques de soie. *Each scarf is decorated with a drawing by Richard Chanlaire and includes the facsimile of a manuscript score. The six scores are by Georges Auric, Arthur Honegger, Darius Milhaud, Francis Poulenc, Henri Sauguet and Germaine Tailleferre.* Le Monde *specifies that the scarves as well as the piano pieces have been presented, probably a few days before, in the gardens of the restaurant Le Progrès in Neuilly. The article's author seems enthusiastic: "But what an astonishment to see walking around, wearing the music sheets on their backs, Pierre Balmain's models! Imagine silk scarves in pastel colors on which are printed in black actual music sheets (that can be played and heard), composed for this specific use [...]" The six pieces are probably intended for the piano; Auric's composition, of which a poor quality reproduction illustrates the article in* Le Jardin des modes, *is a* Scherzando, *but nothing is known about the others. Originally, the project was presumably intended to bring together the Groupe des Six, but Henri Sauguet, a close companion of the group, eventually replaced Louis Durey, who occasionally stopped composing for long periods. Perhaps this was even a follow-up to the piano album* Album des Six *from 1920, for which Poulenc had already composed a waltz. In any case, it is unclear under what circumstances and how many copies of the series of six scarves were distributed.*

It is undoubtedly through his friendship with Poulenc that the painter Richard Chanlaire (1896-1973) was able to achieve this project combining fashion and music. Despite having exhibited at the Salon de la Société Nationale des Beaux-Arts, the Salon des Tuileries and the Salon des Artistes Indépendants at the turn of the 1930s, Chanlaire's career was modest nonetheless. Having experienced various difficulties following the crisis of 1929, he lived in a studio on the Quai des Grands-Augustins in Paris, before dividing his time between the capital and Tourrettes-sur-Loup, not far from Nice. He made a living mainly, it would seem, from the production of colourful patterns and illustrations for screens, scarves and mirrors, which he sold from his studio in Tourrettes-sur-Loup. The haute couture designers Christian Dior, Jacques Fath, Germaine Lecomte and Pierre Balmain would call on him[7]*.*

Francis Poulenc met Richard Chanlaire in 1924, but it was in 1929 that the two men got closer and began a romantic relationship, the composer's first, which revealed to him his homosexuality. As a secret gift, Poulenc offered the manuscript of his Concert champêtre *to his partner, a music lover and amateur violinist. Their tormented relationship also marked the development of the score for Poulenc's ballet* Aubade, *of which he also offered two important manuscripts to Chanlaire*[8]*. After their separation in 1932, Poulenc and Chanlaire became friends, and they remained close until the composer's death.*

Intimate, Chanlaire's drawing including Poulenc's Valse *offers a brief glimpse into the moment of the song's completion. A table, two walls, and an opening to the outside give a slightly distorted perspective. It is almost certain that the painter represented the apartment occupied by Poulenc on the sixth floor of 5, rue de Médicis, in Paris's 6*th *arrondissement, opposite the Jardin du Luxembourg. As in Chanlaire's drawing, the musician's desk was in the corner of a room, near a window with a wrought-iron balcony*[9]*. We notice on one of the walls an abstract painting evocative of Joan Miró, a possible reference to*

Poulenc's taste for modern painting. On the table, in addition to the partition, are placed a stone bust of a Greek-style ephebe (a symbolic representation of homosexual love?), a smoking cigarette resting in an ashtray (Poulenc was an occasional smoker), a pot with a lilac decoration (a symbol of youthful beauty and of the first sentiments of love, perhaps an allusion to the previous love shared by the two men?), an inkwell and a feather (somewhat anachronistic symbols of the creator).

Entitled Valse, the score in the drawing bears the name of its author and its date of composition, December 1951, in Poulenc's very recognisable spelling. There is no tempo indication, but the music seems to call for a moderate or even slow movement. Despite its simplicity, the piece clearly bears the mark of the composer. It adopts a two-phrase period structure, antecedent and consequent, punctuated in bar 12 by an interrupted cadence of a truly Poulencquian colour. In the key of G major, the Lydian-coloured harmony (presence of a C#) is decorated with slight dissonances of sevenths and ninths. The melody, entrusted to the right hand, is songful, sometimes jointed and at times strangely disjointed (bars 7-8), and the mordent of bars 7 and 19 recalls that of the first of the Mouvements perpétuels of 1918. The left hand presents a characteristic style of waltz writing, with a discreet counterpoint by the thumb.

Poulenc's choice to compose a waltz is not surprising. A popular register, easy to access, a direct form of expression and relatively easy to write, the waltz genre was a guarantee in efficiency in the context of a necessarily short piece. The musician often made use of this genre, announced in the title (Valse from the Album des Six, Valse-improvisation sur le thème de BACH, Valse tyrolienne from the Villageoises), sometimes in the subtitle (Les Chemins de l'amour, L'Embarquement pour Cythère), or in the tempo indication (Le Disparu, L'Anguille, Voyage à Paris and Berceuse). Others works by Poulenc are waltzes without mentioning the genre (the java of the Lion amoureux from Les Animaux modèles, Marc Chagall) or sound as such (the 15e Improvisation in honour of Édith Piaf). In Poulenc's music, the waltz generally refers to the collective imagination of popular Paris and its suburbs, to songs, balls and guinguettes; a whole folklore that he loved and from which he never ceased to draw inspiration. However, it can also, as is the case here, exude a sweet melancholy, or become the nostalgic symbol of a bygone era.

This current edition of the piece is entirely based upon the facsimile present on the Pierre Balmain scarf. However, we have added to it, bar 17, a phrasing slur in the right hand (similar to that of bar 5), as well as various rhythmic points obviously missing in several minims of the left-hand bass line.

Admittedly modest in size, this Valse from the Musiques de soie is a work full of charm, which also applies to the astonishing circumstances of its creation, from which it is inseparable. I hope it will please young pianists as well as experienced Poulenc lovers.

My discovery of the work, when I was a researcher at the Royal Northern College of Music in Manchester, was made possible by a grant from the Marie Skłodowska-Curie Actions. All my gratitude goes to the owner of the scarf reproduced here. My thanks also go to the staff of the Fondren Library at Rice University (in particular to Mary D. Brower), to Barbara Kelly (Royal Northern College of Music in Manchester), to the Maison Pierre Balmain (in particular to Delphine Berthier and Valérie Veysseyre-Constant), to Thierry Masquelier, Marie-Ange Lebedeff, François Manceaux and Benoît Seringe.

Nicolas Southon
Translation: Leopold Tobisch

1 Rose Lambiotte Family / Francis Poulenc Archive, 1920-1994, MS 623, Woodson Research Center, Fondren Library, Rice University, Houston, Texas. For more information on this fund, see https://legacy.lib.utexas.edu/taro/ricewrc/00838/rice-00838.html.

2 The Lambiottes' youngest daughter, Rosine Lambiotte Donhauser (1925-2013), moved to New York after her marriage. In 2015, her heirs transferred the Poulenc collection to the Woodson Research Center, where numerous documents relating to French music were already held.

3 See Carl B. Schmidt, The Music of Francis Poulenc. A Catalogue, Oxford, Clarendon press, 1995, p. 472.

4 Francis Poulenc, letter to Rose Lambiotte from August 10th, 1947, in Correspondance, 1910-1963, assembled, presented and annotated by Myriam Chimènes, Paris, Fayard, 1994, p. 641 (note 1).

5 N. R.-D., « Musique de soie [sic] », Le Monde, May 29th, 1952.

6 Unsigned article, Le Jardin des modes, No. 367, July 1952, p. I.

7 On Richard Chanlaire, see Carl B. Schmidt, Entrancing Muse, a Documented Biography of Francis Poulenc, Hillsdale, Pendragon Press, 2001, and Hervé Lacombe, Francis Poulenc, Paris, Fayard, 2013. We also thank Marie-Ange Lebedeff for the information she provided.

8 It turns out that these three manuscripts were later acquired by Auguste Lambiotte, which explains why they are now kept at the Woodson Research Center.

9 We can see the angle of this room, with Poulenc's office, the window and the balcony, on the photograph reproduced on the cover of the book Francis Poulenc, J'écris ce qui me chante, texts and interviews assembled, presented and annotated by Nicolas Southon, Paris, Fayard, 2011.

Foulard Pierre Balmain appartenant à la série *Musiques de soie*, motif dessiné par Richard Chanlaire incluant le fac-similé de la *Valse* de Francis Poulenc (1951) (Collection privée)

Silk square by Pierre Balmain from the Musiques de soie *series, drawn by Richard Chanlaire, including the facsimile of the* Valse *by Francis Poulenc (1951) (Private collection)*

VALSE

des *Musiques de soie*

pour piano

Francis Poulenc

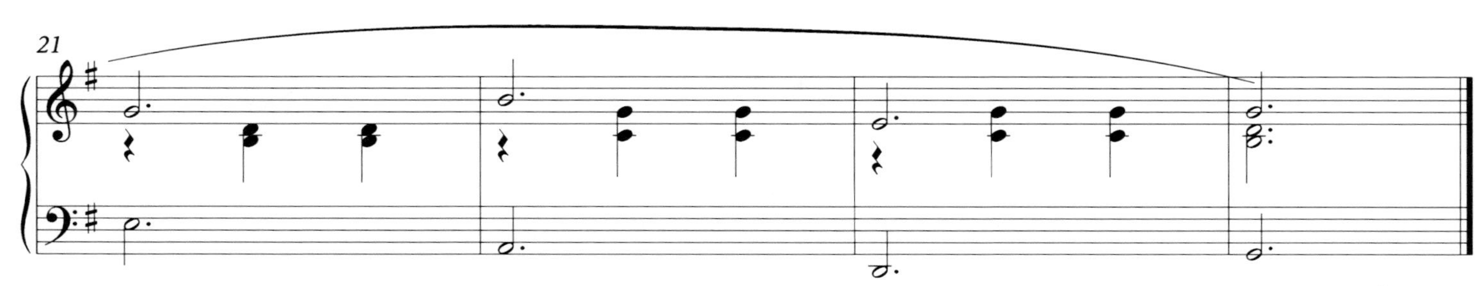

Décembre 1951

EAS 20482

Édition du 30 décembre 2020

EAS 20482
ISMN : 979-0-048-06169-9
